KV-011-678

Olga au ski

Geneviève Brisac

Olga au ski

Illustrations de Michel Gay

Mouche de poche

l'école des loisirs

11, rue de Sèvres, Paris 6e

Composition : Sereg, Paris (Bembo 18/24)
Loi n° 49.956 du 16 juillet 1949 sur les publications destinées à la jeunesse : septembre 1992
Dépot légal : septembre 1992
Imprimé en France par Tardy-Quercy S.A. à Bourges
Numéro d'imprimeur : 92-06-0030

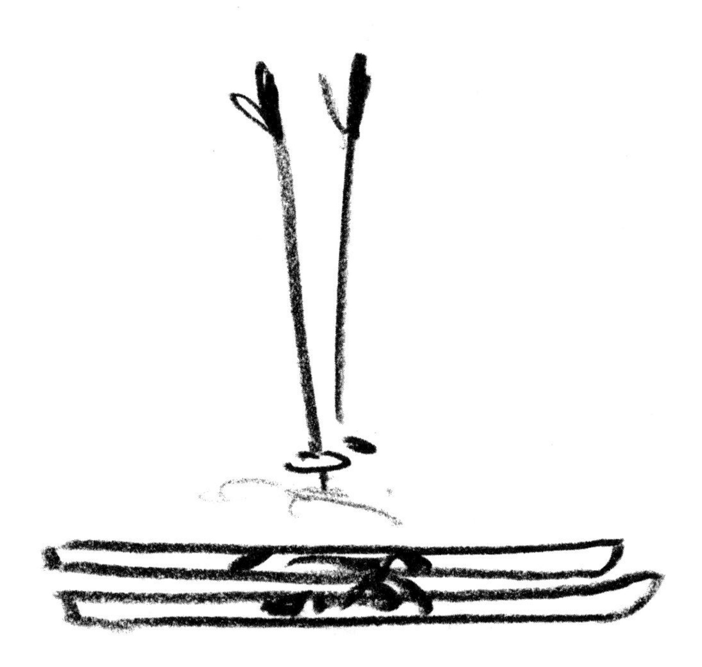

La nuit est noire. Il est cinq heures. Olga est debout, elle se laisse habiller mollement, comme une duchesse endormie. Maman enfile des chaussettes sur les collants, et un pull en laine sur un machin à col roulé.

– Je vais mourir étouffée, je crève de chaud, moi, proteste Olga.

Mais elle est trop abrutie pour se débattre. On part au ski.

Esther est debout depuis longtemps. Prête à partir, elle piaffe. Elle se voit déjà sur les pistes, le soleil, le blanc qui brille, en jeans, tchac, tchac, la godille, peut-être qu'elle essaiera le monoski.

Elle a donné un cours particulier à Olga, hier soir, pendant qu'elles n'arrivaient pas à s'endormir.

– D'abord tu apprends à monter, et ensuite à descendre. On monte en canard, on descend en chasse-neige. C'est un V qui monte, et ensuite un V qui descend.

Esther aime expliquer la logique et le mystère des choses à sa petite sœur. C'est d'autant plus agréable qu'Olga n'a jamais vu la neige, et elle n'arrête pas de demander des détails, de faire des projets de bataille de boules de neige, de bonhomme de neige et d'igloo.

On embarque. Il est cinq heures et demie.

Sur la plage arrière de la voiture, Olga empile ses feutres, ses cahiers de dessin, ses poupées en anorak, sa lampe de poche. Si jamais on en avait

besoin, ce serait génial : il y aura peut-être une grande panne de courant, ou un passage secret. On met aussi les gâteaux secs, les clémentines, les bananes, et ce qui restait dans le frigo, qui ne sent pas très bon. Esther fait une pile de cassettes qu'on écoutera en route. Papa fait remarquer qu'il est censé se servir de la vitre arrière qui est bouchée par toutes les affaires, ce qui prouve qu'il est de mauvaise humeur, puisque cette vitre arrière est obligatoirement bouchée à chaque voyage.

Plus le jour se lève, et plus le temps est long. Ce qui est bizarre, c'est qu'il fait très chaud. Les filles ne veulent pas enlever leurs anoraks, mais tout le monde sue, et il n'y a plus une goutte d'eau à boire dans cette voiture.

L'autoroute serpente, le temps passe de moins en moins à mesure qu'on roule moins vite. Papa a mis la radio, ils parlent de ça, il y a un

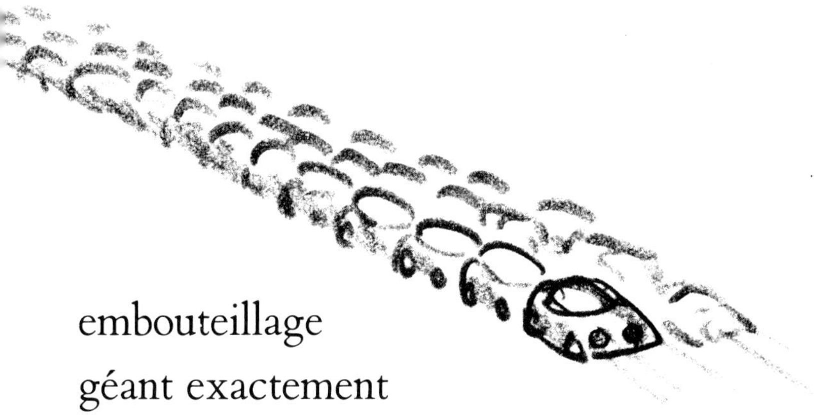

embouteillage
géant exactement
à l'endroit où est la voiture.

On croit aller dans les vastes espaces glacés et on se retrouve dans une sorte de grouillement tropical.

En faisant semblant d'être objective, maman dit :

– Des millions d'idiots se sont levés à cinq heures, on dirait, ce matin.

Papa s'énerve silencieusement, maman regrette d'avoir fait la maligne, se recroqueville sur son siège et met ses lunettes noires. On dirait une fourmi ou un bonhomme de neige fondu.

Olga se sent coupable, sans trop comprendre pourquoi, alors elle dit

courageusement :

– Allez, embrassez-vous.

– On peut mettre une cassette de Coluche, dit Esther.

Cette fois-ci, la voiture est complètement arrêtée, et les gens se baladent sur les bas-côtés.

C'est pas mal du tout comme situation. On dirait que tout est bloqué, que ça ne se décoincera jamais, que peut-être tout s'est bloqué partout.

Papa peut enfin fumer tranquillement, les gens ont roulé leur combinaison de ski à la taille, et il y a des piles d'anoraks, de pulls, de moonboots sur toutes les plages arrière.

– Est-ce que toute la neige est en train de fondre ? demande Olga, en regardant les crêtes de montagnes blanches à l'horizon.

Des gens bizarres en blouse jaune,

un peu comme des garagistes ou des sauveteurs, passent. Ils donnent de l'eau et du lait-fraise.

– On doit être dans un pays de lait, dit maman.

Elle cherche des vaches à l'horizon. Il n'y a que des voitures. Un immense ruban de voitures d'un côté de la terre à l'autre. Olga a un petit peu envie de pleurer, on va rester là toutes les vacances, elle préférerait rentrer tout de suite, mais on ne peut même pas tourner sur cette route, la nuit commence à tomber, le moral est bas. Maman lit des histoires avec la lampe de poche, la famille a l'air de naufragés en train de se concentrer sur *Les vacances de Zéphyr.*

On mange, et puis, écœurée par les chips écrasées, les œufs durs et les pailles d'or mélangées avec le lait-fraise local, Olga s'endort.

*
* *

C'est de nouveau la nuit depuis longtemps. Les autres voitures ont disparu dans le noir. Papa sifflote en prenant les virages, ça monte à pic.

La neige s'est mise à tomber et pourtant on voit les petites lumières du village, comme dans les dessins

animés. Il ne manque que la musique de *Douce Nuit* et des écureuils de Walt Disney.

C'est magnifique.

– J'ai froid, dit maman qui ne peut pas s'en empêcher.

Maintenant on est arrivés. Le nez en l'air pour admirer le ciel, Esther et Olga posent pour l'éternité, en se donnant la main, la bouche ouverte, pleine de neige douce.

– C'est comme de la farine, dit Olga qui entre dans les buissons de neige devant la maison et s'enfonce avec délices, c'est comme du coton, ça a bon goût, on fait un igloo ?

– Rentrez tout de suite, vous allez attraper la mort ! crie maman qui est toujours obsédée par les rhumes et les angines qu'Olga va attraper, alors que si elle était un peu observatrice, elle saurait depuis longtemps que l'enrhumée permanente c'est elle, malgré ses pulls et ses écharpes.

Olga est convaincue que les microbes passent sous les pulls et les bonnets, et de toute façon elle a horreur d'être emmitouflée.

– J'ai pas froid, hurle-t-elle.

Est-ce que les Eskimos ont froid dans leurs igloos ? Au contraire, tout le monde sait bien qu'ils transpirent, ils ont la peau toute brillante. Olga se roule dans la neige. Elle trouve qu'on se croirait dans un film. La tête méchante et furieuse de maman au-

dessus d'elle ne va pas du tout avec ce film, évidemment.

– Dès que la vie dépasse les espérances, le gâcheur ou la gâcheuse n'est pas loin grogne Olga en se faisant traîner vers l'appartement.

C'est un appartement au rez-de-chaussée. Ça ressemble à un intérieur de bateau, tout est petit et même radin, et briqué. Maman a lâché Olga sur le paillasson où elle s'égoutte, et elle s'est remise à déplier des petits draps pour les étendre sur

des petits lits. Ça n'a pas l'air de l'exalter ; elle est pliée en douze parce que le type qui a dessiné la maison n'a pas pensé du tout qu'il faudrait refaire les lits, il a dû dessiner des lits tout faits une fois pour toutes. Maman pleurniche en se déchirant les doigts contre le mur en crépi ; elle tient absolument à border les lits, alors que tout le monde s'en fiche.

– La mère lapin a mal aux pattes dit maman.

Tout le monde la dorlote, bien qu'il soit minuit, mais son cœur est gelé comme dans *La Reine des neiges*. Elle sort sur le balcon fumer une cigarette, et rentre en rigolant.

– Avec toi, on n'a même plus le temps d'interroger la météo, dit Esther, le temps change trop vite.

Et en un quart d'heure, tout le monde dort dans le nid, et ronfle.

* * *

Le matin, de tous les appartements jaillissent des ribambelles de combinaisons de toutes les couleurs, mais plutôt orange, violettes et turquoise : les enfants vont au cours de ski, il est neuf heures moins cinq.

Olga et Esther ne veulent pas aller au cours.

– S'il y a cours, c'est pas des vacances, dit Olga d'un ton sentencieux.

Maman opine du bonnet.

– Et comment tu vas devenir championne demande papa qui a bien l'intention de skier tranquille, sans petites marmottes accrochées à ses basques.

Il fait d'énormes grimaces à maman pour qu'elle arrête de compliquer la vie exprès, pour qu'elle arrête de prendre cet air de sainte-nitouche, cette petite bouche pincée pour dire: «Quand c'est la vérité, c'est la vérité.»

Maman prétend qu'elle est contre les mensonges que les adultes font pour avoir la paix. Du genre: vous êtes obligées d'aller au cours. Vous êtes pas obligées. C'est tout. Maman s'enferme dans la mini-salle de bains et fait couler l'eau.

Le problème, avec les vacances, c'est qu'il faut prévoir chaque seconde et que tout est atrocement compliqué.

Olga et Esther se sont mises à la table du petit déjeuner pas débarrassée, et Olga dessine.

Esther écrit à une copine une lettre humoristique.

Papa se prépare avec soin, de l'air de celui qui donnerait l'exemple si on le regardait, mais tant pis pour ceux qui ne regardent pas.

– Tu vas au cours ? demande Olga.

– Nous on reste avec maman.

– C'est ça, crie maman de sa mini-salle de bains, et vous m'aiderez à faire le ménage et les courses.

– Elle fait son trip femme au foyer, dit papa, n'écoutez pas.

Peut-être, mais Esther se méfie quand même. Une journée à traînasser avec maman et Olga, elle n'a pas mérité ça.

Esther bondit dans sa combinaison fluo. En trois minutes elle est coiffée, queue-de-cheval et bonnet, chaussée de trucs monstrueux, et elle claudique dignement à travers l'espace minuscule en criant : Qui a volé mes lunettes Vuarnet ?

Papa et Esther, les deux héros, sont sur les pistes. Le ciel est bleu, il est neuf heures et demie, et les

ribambelles se hissent à l'assaut des cimes sur les tire-fesses qui ressemblent à des guirlandes maintenant.

Maman se fait un chignon de Chinoise en s'admirant devant la glace.

– Je suis une Chinoise verte, dit-elle à Olga. La seule personne à qui la montagne donne mauvaise mine.

Olga la regarde en coin. Tout cela n'est pas très bon signe.

– Et qu'est-ce qu'on fait, nous, alors ? demande-t-elle sur un ton légèrement menaçant. Un bonhomme de neige ?

– Tu n'as qu'à le faire devant l'appartement, je te regarde en rangeant, dit maman.

– Pas question. On est en vacances pour faire des choses ensemble, et toi tu cherches qu'à te défiler, dit Olga fâchée.

– Bon, alors accompagne-moi au supermarché.

Olga voit l'intérêt d'accompagner maman faire les courses. Elle pourra choisir les gâteaux qu'elle préfère et que maman n'achète pas parce que les gâteaux préférés partent trop vite, et aussi parce qu'elle ne peut jamais savoir lesquels c'est, ça change trop souvent.

Et puis elle fera les menus, et maman cédera certainement sur une chose ou une autre, un jouet ou un coloriage ou de nouveaux feutres fluo. Ce qui est embêtant, c'est de céder trop vite.

– D'accord. Mais on prend la luge.

– OK Doc! dit maman qui a retrouvé un sourire dans une de ses poches de jean, apparemment.

Elle ne se met jamais en tenue de skieur. Elle reste en jean.

La luge, c'est un grand morceau de plastique rose fluo – tout est fluo à la neige – avec une longue ficelle noire, comme une laisse de chien.

Olga et maman installent un panier à provisions dans la luge, et en route! Ça descend atrocement, et elles se font doubler par leur luge.

– Et si on y allait EN LUGE? propose Olga.

– OK Doc ! dit maman qui semble avoir perdu toute jugeote.

Elles s'assoient toutes les deux, Olga devant et maman derrière. Elles mettent leurs lunettes noires comme font les aviateurs dans les vieux films, et elles filent sur la pente en direction du centre commercial. Au début, c'est assez olé-olé. Elles ne savent pas bien tourner et elles rentrent dans tout ce qui se dresse en travers de leur route. Elles freinent avec leurs moon-boots alors qu'il y a des freins-poignées. Mais à la deuxième chute, ça commence à entrer.

L'arrivée au supermarché est très spectaculaire.

*
* *

Comme deux reines, elles sortent de la luge et entrent dans le petit supermarché.

– T'as cinq francs pour m'acheter une bague ? demande Olga à tout hasard pour commencer le racket.

– NON ! dit maman que la descente a ragaillardie.

La surprise, c'est qu'il n'y a RIEN dans les rayons du supermarché. Une boîte de haricots par-ci, des raviolis par-là, des boîtes toutes seules sur leur rayon. On dirait qu'un troupeau d'éléphants et de Huns est passé par-là.

– Qu'est-ce qui se passe ? demande maman à un monsieur en blouse qui a mieux à faire que de répondre aux questions stupides des touristes.

– C'est toutes les semaines pareil, explique une dame aux cheveux bleus qui regarde maman et Olga errer piteusement, une tablette de Galak dans une main, un paquet de Krisprolls dans l'autre.

Les locations démarrent le samedi à seize heures. Les gens arrivent tous en même temps. Et ils font tous, du même mouvement, dans l'enthousiasme et pour être tranquilles, leurs courses pour toute la semaine. Et vous voilà, vous, qui arrivez après la bataille, la bouche en cœur. Maman trouve tout cela passionnant, exaltant.

– Nous sommes des MOUTONS, dit-elle à Olga, des moutons, tu comprends ?

– Des moutons en retard, si j'ai bien compris, dit Olga, qui ne voit absolument pas ce qu'il y a de formidable là-dedans. Y a rien à bouffer, ça c'est clair, c'est un supermarché pourri, point final.

– Tu veux qu'on aille en luge au village qui est plus bas ? dit maman enthousiaste, genre y a de l'aventure dans l'air. On remontera en œuf.

L'œuf, c'est une sorte de petite benne ronde. Tout est petit et complet ici.

– Y a pas écrit pigeon, dit Olga.

Y a pas écrit pigeon, c'est la nouvelle phrase fétiche de sa sœur Esther. Elle la trouve magnifique, très sobre, très forte.

– Bon, alors on mangera la Mousseline au fromage qui reste dans ce magasin, dit maman, très cool.

Olga la regarde en coin, c'est moche ce genre de riposte.

– Les vacances, ça veut pas dire que tu me traînes partout pour faire des courses et acheter à manger. Les vacances, ça veut dire qu'on FAIT des choses et qu'on S'AMUSE.

– Tu ne trouves pas qu'on s'amuse depuis tout à l'heure ? demande maman d'une petite voix déçue.

– NON ! dit Olga.

Et elle se fait un sandwich avec deux petits-beurre et du Galak.

La dame de la caisse les regarde. On les connaît ces touristes qui se nourrissent tranquillement dans le magasin et sortent ensuite, avec un air d'ange rassasié.

Maman paie,
et en route ! Olga
s'installe dans la luge rose.

– C'est moi qui conduis. Tu connais la route du village ?

Maman a une idée maîtresse : il faut descendre, et ne pas perdre de vue le ruban de la route, tout en coupant par les pentes les plus fréquentées. Bref, elle ne sait rien.

Elles partent, maman chante, et Olga s'amuse à faire des virages genre championne de ski. C'est magnifique, la belle vie. Personne à l'horizon, de la neige qui fait crouler les branches des sapins, des petits chemins ravissants, et même du soleil.

– Tu t'amuses ? demande maman au bout d'un moment, assez sûre de la réponse, assez fière de son idée.

– Ouais-ouais, dit Olga qui trouve la question mal élevée.

Elle freine sec. Maman roule et tombe sur le côté et elle crie :

– T'es folle ?

– Chhhhut, dit Olga, tapie dans la position du trappeur – d'après les manuels. Sur une grosse branche de sapin, deux écureuils gris les regardent.

– Ils nous croiront jamais, dit Olga.

Maman est tout émue. Les écureuils, c'est ce qu'elle aime le mieux au monde. On pourra revenir les

voir. On pourra les apprivoiser.

On pourra les emmener à Paris. Olga et maman rêvent sur leur luge qui a repris sa descente. Elles ne voient pas que le ciel est devenu horriblement noir.

Le vent s'est mis à souffler. Les nuages filent à dix mille kilomètres à l'heure.

Maman se demande si son idée était si excellente que ça.

La luge dérape de plus en plus et il commence à neiger. On n'y voit plus rien.

– Il faut qu'on marche, c'est trop dangereux, murmure maman.

– T'as peur ? dit Olga. Qu'est-ce qui va nous arriver ?

Maman est obligée d'être courageuse, ou au moins digne.

– T'inquiète pas, dit-elle, ça passe très vite les tempêtes, dans les montagnes, et puis on doit être près du village. Ça fait déjà longtemps qu'on descend.

Elles marchent, elles enfoncent leurs moon-boots dans la neige. Parfois maman, qui marche devant, s'enfonce d'un coup jusqu'aux hanches, parce qu'il y a une espèce de trou. Devant les yeux d'Olga, il y a les petites lumières de la maison, si douce, si confortable, cet appartement trop petit, certes, mais chauffé et sans vent. Elle pleure un peu.

– Ah non, Olga ! dit maman qui ne se sent pas très très rassurée. Tu pleureras quand on sera rentrées.

L'idée qu'on va donc sans doute

rentrer est réconfortante. Mais la luge donne de grandes claques à Olga et à maman.

– On va se faire assommer, il faut l'abandonner, dit maman.

Ça rappelle les histoires de ballon et de sacs de sable à Olga. Quand on commence à larguer des trucs, c'est pas bon signe.

Il fait très froid maintenant. Olga et maman ont abandonné la luge dans une sorte de trou naturel sous un arbre. Olga essaie de se souvenir des arbres des environs, de se faire des repères, genre la position du

clocher
du village
qu'on voit maintenant un peu en dessous,
horriblement loin.

– On reviendra la chercher, hein maman ?

Maman a les dents serrées, elle répond juste par des MMM MMM... et des petites caresses sur la tête et le bonnet en laine d'Olga.

– Il faut qu'on rejoigne la route, dit-elle.

Elles escaladent des souches, se griffent, glissent contre de petites pentes abruptes, s'enfoncent. Le vent gronde.

Soudain elles voient des phares.

– C'est déjà la nuit, dit Olga.

– Non, dit maman, mais c'est la route, alors on est sauvées.

Maman fait de grands signes aux voitures qui passent. Mais il n'en passe presque pas et elles ne s'arrêtent pas.

– On n'a qu'à se mettre au milieu de la route, ou mettre un arbre, dit Olga.

Elles marchent très doucement, à

tout petits pas ; maman a peur que sa fille s'envole.

– J'ai même pas mon boubou, dit Olga. Tu te rends compte ? Si on meurt là toutes les deux dans la neige et la tempête, sans mon boubou ?

Elles essaient de se raconter des histoires.

– Qu'est-ce que tu ferais si quelqu'un que t'aimes beaucoup t'offre quelque chose que tu n'aimes pas du tout ? demande Olga.

Ça fait rire maman, parce que vraiment, c'est pas une question qui se pose en pleine tempête, alors qu'elles sont perdues, avec une luge abandonnée, que sûrement papa et Esther les cherchent partout, et qu'elles vont mourir de froid, de peur, de fatigue et de cors aux pieds.

Elles mettent leurs mains sur leur figure ; le pire, c'est les claques du vent, les oreilles gelées, maman soupire.

– Courage ! dit Olga.

On dirait que le courage fait la bascule.

Une voiture glisse jusqu'à elles et s'arrête. Elles ne se retournent pas. Ça a fait un bruit de traîneau. Elles sentent qu'elles devinent ce que c'est, cette voiture. Elles entendent les deux portières qui claquent, et elles se font toutes petites. Esther et papa se jettent sur elles. Esther couvre maman de baisers, et papa jette Olga en l'air.

Et puis tout le monde se serre contre tout le monde, et puis c'est la fin du bon moment, et Esther dit :

– Qu'est-ce que vous avez fabriqué ?

– On ne peut pas les laisser trois minutes, dit papa.

Olga et maman regardent leurs

têtes. Ce sont deux têtes inquiètes et fâchées.

– Les tempêtes, ça prévient pas, dit maman à mi-voix.

– Y a pas marqué pigeon, dit Esther.

– L'aventure, murmure maman, pour que personne ne l'entende, sauf peut-être Olga, qui lui fait un clin d'œil.

*
* *

Le lendemain matin, tout le monde va au cours, maman aussi. C'est un cours pour anciennes très bonnes skieuses qui sont redevenues débutantes parce qu'elles ont la trouille.

Papa va au cours des champions qui veulent s'améliorer, Esther en Flèche, et Olga chez les Flocons. Ils ont des réserves de noms dingues dans ces stations de ski.

À neuf heures tapantes, tous les groupes se ruent vers les remonte-pentes, sauf les Flocons, qui apprennent la montée en canard et la descente en chasse-neige, exactement ce qu'avait dit Esther qui est une fille au courant de tout. Et c'est une des raisons pour lesquelles Olga l'admire en secret.

Trois heures de turbin.

Il neige, en plus.

Olga râle. Faire le canard avec la figure trempée de neige glacée et le vent qui vous souffle dedans et risque de vous renverser, c'est inhumain.

En plus, on monte une heure, après on attend une heure que les autres soient passés, chacun son tour, le chasse-neige devant le moniteur qui pense à autre chose et s'ennuie visiblement à mourir. Après, on descend, ça prend une seconde.

Le ski, c'est s'ennuyer une heure et s'amuser moyennement pendant une minute. Olga essaie de se souvenir de ce calcul pour en parler à papa et maman tout à l'heure.

Heureusement, il y a une fille qui s'appelle Myrtille, et Olga trouve qu'elle a une figure drôle. Un nez en trompette.

Elle a huit ans, c'est une grande mais elle est plus petite qu'Olga.

Elle habite à Orléans.

Pourtant elle a l'air française, est-ce qu'Orléans c'est en France ? Olga n'ose pas demander à Myrtille qui a l'air susceptible.

– Est-ce que tu veux venir jouer à la maison après le cours ? demande Olga qui aime bavarder en attendant la descente d'une minute où elle va sûrement tomber en plus, mais qui aime surtout inviter des copines à jouer.

Mais Myrtille ne répond pas à l'invitation et dès que le cours est fini, elle disparaît sans dire au revoir.

Olga rejoint maman et papa et Esther au restaurant en plein air où tout le monde s'entasse après le cours. Il y a un vague rayon de soleil, alors tout le monde a la figure levée vers le ciel. Le chemin du rendez-

vous de cours jusqu'au restaurant est une petite pente bien douce et large. Olga serre ses skis et plie les genoux. C'est génial, elle vient de se sentir championne. Une impression délicieuse, il faut bien le dire. Elle atterrit dans les bras de papa en criant : Je vole, je vole !!!

Olga espère que cet après-midi, elle prendra un remonte-pente, elle skiera avec papa. Il y aura la queue, on pourra s'amuser à doubler, ou peut-être à donner des petits coups de bâton dans les skis des gens qu'on n'aime pas, pour qu'ils tombent. Maintenant qu'elle sait très bien skier.

On mange des frites en bas des pistes. Maman pose mille questions. Elle est joyeuse, parce qu'elle se débrouille bien à son cours. Olga se sent triste soudain, en repensant à

Myrtille, ou alors parce que le soleil s'est caché.

Elle tripote ses frites, fait des bonshommes avec, et des bulles dans son Coca avec sa paille. Elle boude.

– Je veux plus aller au cours, déclare-t-elle.

– Qu'est-ce qu'il y a ? Tu es tombée ?

Olga ne répond pas.

– Elle a un chagrin d'amour, se moque Esther.

Olga lui fait une grimace horrible, et puis elle pleure.

Ses joues ruissellent et ses gants sont trempés.

Elles partent se mettre dans un coin, elle et maman.

– J'en ai marre, dit Olga. J'ai eu une copine une minute, et puis je l'ai perdue. Et personne ne viendra jouer à la maison au Cluedo ce soir, et j'ai jamais d'amies nulle part.

Elle s'est allongée sur un banc, elle rigole.

– J'ai des larmes plein les oreilles.

Maman ne sait pas quoi dire, juste qu'il y a sûrement plein d'autres filles géniales chez les Flocons, et que celle-là était une sale pimbêche prétentieuse.

Mais Olga a oublié. Elle dit :

– Tu viens, on fait une bonne femme de neige avant que les cours recommencent.

– Et quand est-ce qu'on se repose ?

dit maman qui sait bien qu'on ne se repose jamais en vacances, mais qui aime aussi râler, comme les autres.

La bonne femme de neige grandit très vite. Elle est splendide, avec une espèce de balai-brosse, un chapeau cloche et une vaste jupe ornée de petites frites froides.

On dirait un genre de sorcière russe, intelligente et cultivée.

– On lui fait un chat de neige ? propose Olga. Mais c'est trop tard, il faut retourner au cours.

Cette fois-ci, Olga se met devant les autres Flocons, elle monte dans le télésiège avec le moniteur. C'est très intimidant, il faut lui faire la conversation. Qu'est-ce qu'elle peut lui dire ? Heureusement le moniteur a l'habitude de faire la conversation dans le télésiège. Il parle de sa mère, de ses sœurs, il dit les noms de toute sa famille, et Olga fait pareil.

En haut, ça se gâte. Olga a décidé de skier sérieusement, et il y a une petite qui n'arrête pas de vouloir lui parler, qui la tire par son anorak, et qui se met à côté d'elle tout le temps.

Mais quel pot de colle, cette fille ! Elle a même pas six ans, en plus, pense Olga qui essaie de lui échapper.

Le cours est génial, parce qu'on descend une vraie pente, et qu'Olga sert de cobaye au moniteur qui la prend comme exemple, la fait descendre entre ses skis, à toute vitesse.

Vive le ski ! se répète Olga.

Le soir, on boit du chocolat à la maison, c'est la vraie famille rassemblée autour de la lampe. Olga trouve que c'est romantique, avec la neige qui tombe doucement dans la nuit, et on peut regarder et se dire qu'il fait délicieusement chaud à l'intérieur. On est bien.

Esther raconte qu'ils ont fait une descente schuss chronométrée. Elle a passé sa journée à faire l'œuf.

– Ça te va pas mal, susurre Olga.

Elle raconte qu'elle a fini sa descente sur les épaules du moniteur. La classe.

Et puis elle raconte le petit pot de colle, et que vraiment il n'y avait pas moyen de lui faire comprendre.

– J'espère que tu as été sympa, dit maman avec son air sainte-nitouche.

Olga la regarde, un peu étonnée.

Et puis elle dit :

– C'est bizarre dans la vie. Il y a une grande de huit ans qui ne veut pas jouer avec moi, et moi qui ne veux pas jouer avec une petite de cinq, et tout le monde est malheureux.

*
* *

La neige fond, c'est une pitié.

Les cours se font dans la gadoue.

Maman prend un air ravi pour annoncer :

– C'est parce que la terre se réchauffe.

C'est heureusement la fin de la semaine. Olga a un milliard de copines qui occupent l'appartement à longueur de temps. Esther s'est retranchée sur son lit superposé. Elle lit des Agatha Christie avec un casque sur la tête et elle écoute les Négresses Vertes.

Papa est de très bonne humeur, il est noir, tout le monde va l'admirer quand il va rentrer.

– Faudrait faire le ménage, dit maman. Un grand ménage. Qui veut m'aider ?